EMF2-0060
合唱楽譜＜合唱 J-POP＞

J-POP
CHORUS PIECE

合唱で歌いたい！J-POP コーラスピース

女声2部合唱

空も飛べるはず

作詞・作曲：草野正宗　合唱編曲：田原晴海

＊この楽譜は、旧商品『空も飛べるはず〔女声2部合唱〕』（品番：EMF2-0041）とアレンジ内容に変更はありません。

ELEVATO
MUSIC ENTERTAINMENT

空も飛べるはず

作詞・作曲：草野正宗　合唱編曲：田原晴海

9
A
mf
おさないびねつをー
さげられないままー
mf
おさないびねつをー
さげられないままー
A
F
Gm
C
Dm
mf leggiero
13
かみさまのーかげーをおそれて
かみさまのーかげーをおそれて
B♭
F
G
C
17
B
mp
mf
Uh
にあわないぼくをー
みえすいたうそはー
mp
かくしたナイフが(ah)
きりふだにしてた(ah)
ぼくをー
うそはー
B
F
Gm
C
Dm
mf

Elevato Music
EMF2-0060

33
D
でおったきせきが このむねにあふれてる きっと
でおったきせきが このむねにあふれてる
D
F C Dm B♭ C F
f
37
(V)
いまはじゆうにそらもとべーるはずー
𝄋ゆめを
ゴミで
(V)
いまはじゆうにそらもとべーるはずー
𝄋ゆめを
ゴミで
B♭ C Am7 Dm7 B♭ G7/B C
mf
41
ぬらしたなみだが うなばらへながれたら
きらめくせかいが ぼくたちをこばんでも
ずっと
ぬらしたなみだが うなばらへながれたら
きらめくせかいが ぼくたちをこばんでも
F C Dm7 B♭ C F
f

45
to 𝄌
1.
そ ば で わ ら っ て い て ほ し
Fu fu い て ほ し
B♭ C Am7 Dm Am/C B♭M9 C7
mf
49
い
い
F C Dm F C7 Dm
53
mf
Ah ah
mf
Ah ah ah ah
F C Dm B♭M9 C7

57
2.
ほ し い
ほ し い
2.
C7
C♯dim
Dm7
B♭M9
61
Am
Dm7
C/B♭
B♭7
65
mp cresc.
Uh uh uh
mp cresc.
Uh uh uh
Gm
Am7
Gm7
Am7
B♭
mp cresc.

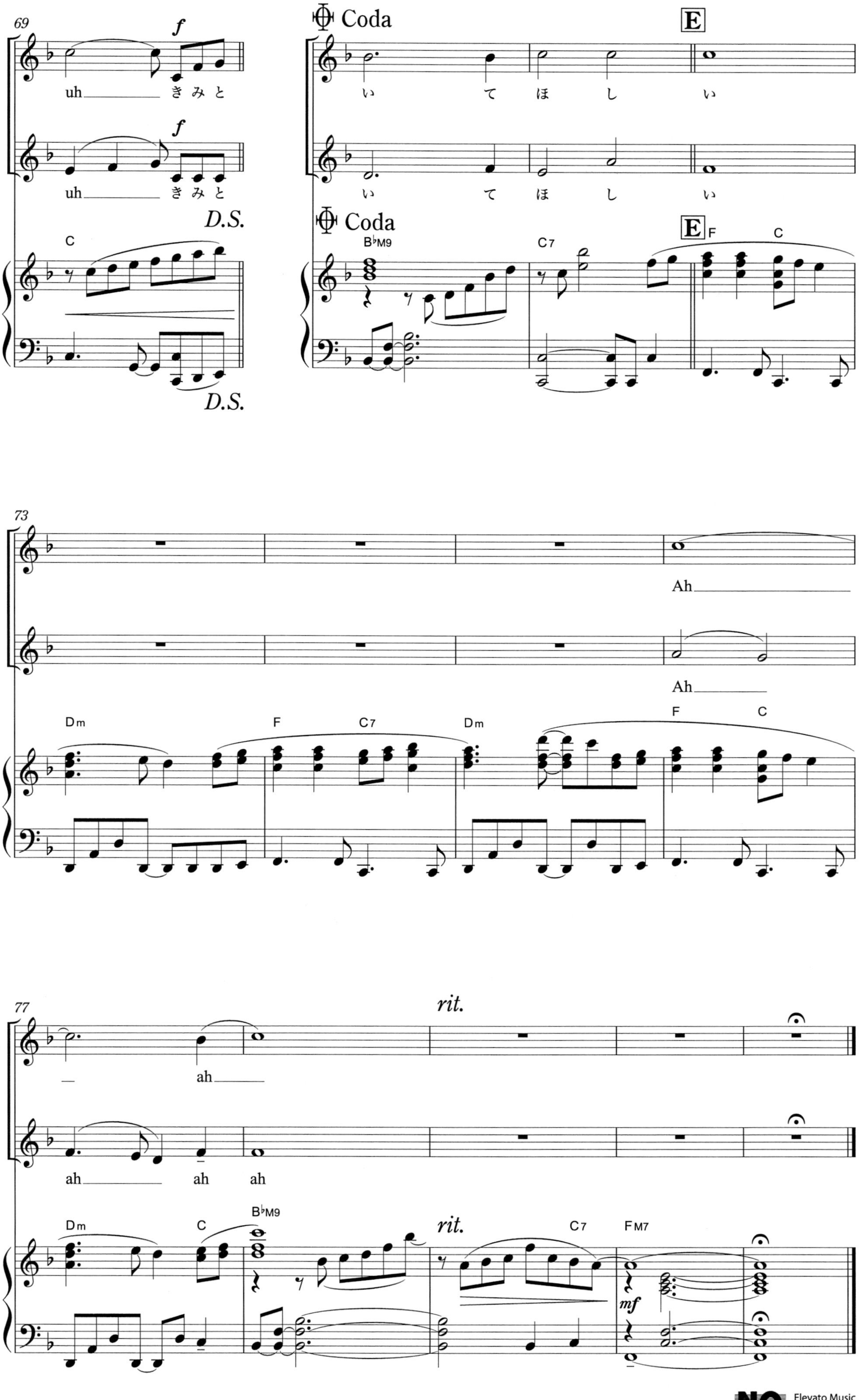

Elevato Music
EMF2-0060

空も飛べるはず

作詞：草野正宗

幼い微熱を下げられないまま 神様の影を恐れて
隠したナイフが似合わない僕を おどけた歌でなぐさめた
色褪せながら ひび割れながら 輝くすべを求めて

君と出会った奇跡が この胸にあふれてる
きっと今は自由に空も飛べるはず
夢を濡らした涙が 海原へ流れたら
ずっとそばで笑っていてほしい

切り札にしてた見えすいた嘘は 満月の夜にやぶいた
はかなく揺れる 髪のにおいで 深い眠りから覚めて

君と出会った奇跡が この胸にあふれてる
きっと今は自由に空も飛べるはず
ゴミできらめく世界が 僕たちを拒んでも
ずっとそばで笑っていてほしい

君と出会った奇跡が この胸にあふれてる
きっと今は自由に空も飛べるはず
夢を濡らした涙が 海原へ流れたら
ずっとそばで笑っていてほしい

WindsScore　ELEVATO MUSIC ENTERTAINMENT

ご注文について

楽譜のご注文はウィンズスコア、エレヴァートミュージックのWEBサイト、または全国の楽器店ならびに書店にて。

●ウィンズスコアWEBサイト

吹奏楽譜／アンサンブル楽譜／ソロ楽譜

winds-score.com

左側のQRコードより
WEBサイトへアクセスし
ご注文ください。

ご注文方法に関しての
詳細はこちら▶

●エレヴァートミュージックWEBサイト

ウィンズスコアが展開する合唱・器楽系楽譜の専門レーベル

elevato-music.com

左側のQRコードより
WEBサイトへアクセスし
ご注文ください。

ご注文方法に関しての
詳細はこちら▶

TEL:0120-713-771　FAX:03-6809-0594
(ウィンズスコア、エレヴァートミュージック共通)

※造本には十分注意しておりますが、万一、落丁・乱丁などの不良品がありましたら
お取り替えいたします。また、ご意見・ご感想もホームページより受け付けておりますので、
お気軽にお問い合わせください。